G000123929

Llyfr Mawr y rarits

Mae'r llyfr yma yn eiddo i

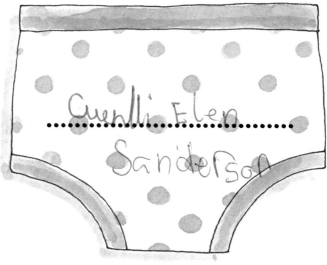

...Cuenlli Elen......
Sanderson

Llenwch eich pants!

Argraffiad cyntaf: 2006
Ⓗ Hawlfraint: Matthew Glyn, Daniel Glyn a'r Lolfa Cyf., 2006
Lluniau a clawr: Chris Glynn

Mae hawlfraint ar destun a lluniau'r llyfr hwn ac mae'n anghyfreithlon i'w
llungopïo neu atgynhyrchu trwy unrhyw ddull (ar wahân i bwrpas adolygu) heb
ganiatâd ysgrifenedig y cyhoeddwyr ymlaen llaw.

ISBN: 0 86243 931 0
ISBN-13 9780862439316

Dymuna'r cyhoeddwyr gydnabod cymorth ariannol Cyngor Llyfrau Cymru

Cyhoeddwyd ac argraffwyd yng Ngymru gan:
Y Lolfa Cyf., Talybont, Ceredigion SY24 5AP
e-bost ylolfa@ylolfa.com
gwefan www.ylolfa.com
ffôn +44 (0)1970 832 304
ffacs 832 782

Daniel a Matthew Glyn

Lluniau gan Chris Glynn

CYFLWYNIAD GAN SIÔN CORN

Helô, a 'Ho Ho Ho!' Pam dwi'n chwerthin? Wel, achos fod Rwdolff newydd geisio cnecu, ond mi oedd yna ychydig mwy o sylwedd i'r gnec nag oedd o'n ddisgwyl. Rwdolff? Mwy fel Pŵdolff! Dyna ddysgu gwers iddo fo am fyta'r holl fins peis.

Pan ofynnodd yr awduron i mi ysgrifennu pwt ar gychwyn eu llyfr fy ymateb cynta oedd "Faint o bres da chi am dalu i fi?" Wedi'r cyfan, dwi'n ddigon hapus i ddosbarthu anrhegion i holl blant y byd yn rhad ac am ddim, ond rhaid i mi dalu'r biliau rhywffordd. Yn enwedig y bil am lanhau'r mes ma Rwdolff wedi'i wneud.

Yr ail gwestiwn oedd gin i i'r awduron oedd "Ydach chi wedi bod yn dda eleni?" Chlywais i ddim gair ganddyn nhw am

fisoedd, ond yna, echddoe, derbyniais ddarn o bapur ganddyn nhw oedd yn ddigon i fy narbwyllo bod yr awduron yn hogia da iawn, iawn. Dwi newydd ddychwelyd o dalu'r siec yma i mewn, ac felly i ffwrdd â fi.

Ahem. Ho ho ho! Croeso i *Lyfr Mawr y Pants*, llyfr fydd yn bendant yn cael ei gyfri fel un o glasuron llenyddiaeth Cymru am flynyddoedd i ddod. Neu falle ddim. 'Toes fawr o ots gen i, a dweud y gwir, ma'r siec 'di clirio erbyn hyn, felly wfft iddyn nhw! A deud y gwir, dwi am ddefnyddio tudalennau'r llyfr i glirio mes Rwdolf. Ho ho ho, yn wir!!! Cofiwch fod yn dda, achos dwi'n gwbod lle 'dach chi'n byw.

SIÔN CORN

Ie, **LLONGYFARCHIADAU**, rydych wedi cyrraedd tudalen 8. Mae hyn yn golygu eich bod wedi deall yn iawn sut mae'r llyfr yma'n gweithio. Ond, nid yw'r siwrnai ar ben. Y cyfan sydd rhaid i chi wneud ydy parhau i droi'r tudalennau. Barod am y dudalen nesa? Siŵr? Hollol siŵr? Iawn, ar ôl tri. Un... dau... dau a hanner... dau a thri chwarter... pob lwc...

TRI!!!!!!!!!!!!

Pos y Pants 1

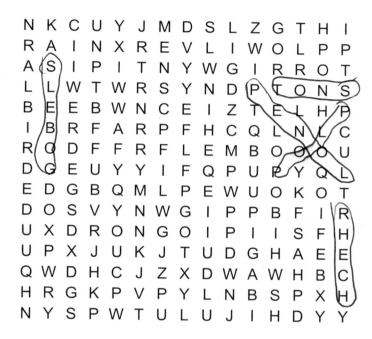

```
N K C U Y J M D S L Z G T H I
R A I N X R E V L I W O L P P
A S I P I T N Y W G I R R O T
L L W T W R S Y N D P T O N S
B E E B W N C E I Z T E L H P
I B R F A R P F H C Q L N L C
R Q D F F R F L E M B O O O U
D G E U Y Y I F Q P U P Y Q L
E D G B Q M L P E W U O K O T
D O S V Y N W G I P P B F I R
U X D R O N G O I P I I S F H
U P X J U K J T U D G H A E E
Q W D H C J Z X D W A W H B C
H R G K P V P Y L N B S P X H
N Y S P W T U L U J I H D Y Y
```

A fedrwch chi ffeindio'r geiriau isod?

BYRPEN
CRINC
DREWI
DRIBLAR
DRONGO
FFYLGI
FFRWTIAN
IDIOT
LEMBO
LLYSNAFEDD

PENOL
PLOP
RHECH
SLEBOG
SNOT
TISHAN
TORRI GWYNT
TWPSYN
PWP
PIPI

9

Anturiaethau Barti Frown

O ddyddiadur William Willaims

Dwi wedi bod yn y gell yma ers pythefnos, yn unig ac yn drist. Ond heddiw, cafodd rhywun arall ei daflu i mewn i'r gell – neb llai na Barti Frown, Môr-leidr gwaetha Cymru.

"Sut cefaist ti dy ddal?" gofynnais iddo.

"Mae'n storrri hirrr a chymleth," meddai Barti. "Rrroeddwn yn hwylio tu hwnt i ynysoedd y Carrribî, wedi mis cyfan o fôrrr-ladrrrata aflwyddiannus, pan yn sydyn clywon ni floedd o nyth y gigfrrran! Mewn fflach rrroeddwn i arrr ddec y llong, efo fy sbienddrrrych yn fy llaw."

"A be welest di?" gofynnais.

"Un o longau crrrand y Llynges yn hwylio'n syth tuag aton ni! Rrroeddent yn dal yn chwilio amdana i gan fy mod wedi peintio '*Mae capten y Llynges yn edrych fel dynes*' ar ochrrr fy llong," meddai Barti.

"A be ddigwyddodd?" gofynnais.

"Wedi i mi stopio crrrio, penderrrfynais, fel Capten y Pants Brown, fod angen i mi fod yn ddewrrr. Felly, gyda fy ngwynt yn fy nwrrrn, neidiais yn arrrwrrrol i mewn i sach, a chuddio. Rrroedd fy nghalon yn currro, a chwys yn diferrru i lawrrr fy ngwyneb, a rrrhwybeth arall yn diferrru lawr fy nhrrrowsus. Yn sydyn fe welais un o'rrr milwyrrr yn rhoi cic i'rrr gist lle rrroedd y trydydd mêt, a chomedïwr y llong, Jac Du, yn cuddio. On i'n meddwl fod hi ar ben arrrnon ni. Ond roedd Jac yn Fôrrr-Leidrrr clyfarrr a chyfrrrwys ac yn hytrrrach na datgelu taw ef oedd yn y gist, fe wnaeth sŵn fel cath fach yn mewian. MIAW!!!"

"'Ma na gath yn y gist', meddai'rrr milwyrrr. 'Siŵr o fod ma hi yma i ddal unrhyw lygod mawrrr sy'n rhydd ar y llong.'

"Nesa, fe giciodd y milwrrr arall y gasgen lle rrroedd
Siencyn Melyn, yr Ail Fet, yn cuddio. Ond doedd dim
angen poeni. Rrroedd Siencyn hefyd yn Fôrrr-leidrrr
clyfarrr a chyfrrrwys ac fe wnaeth sŵn fel ci yn
cyfarrrth. WOOF WOOF!!!

"Ma na gi ar fwrdd y llong hefyd," meddai'rrr ail
filwrrr. Rrroedd y ddau filwrrr arrr fin gadael y llong,
ond yn sydyn, dyma un ohonyn nhw yn rhoi cic i'rrr
sach lle oeddwn i'n cuddio! Fel fflach, ac yn dilyn
esiampl clyfrrrwch y lleill, meddyliais am ffordd i
dwyllo'r milwyr. Ac felly, wrth iddo gicio'r sach, fe
waeddais arrr dop fy llais "TATWS".

Nid yw Barti wedi yngan gair ers dweud y stori yma
wrtha i bore 'ma. Siŵr o fod achos 'mod i'n dal yn
chwerthin ar ei ben.

Sut i greu peiriant rhech

CAM 1
Ffeindiwch ac agorwch glip papur mawr
(tua 5cm o hyd neu fwy)

CAM 2
Gan ddefnyddio pâr o bleiars plygwch y
clip papur i mewn i'r siâp ar y dde.

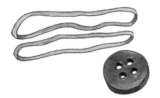

CAM 3
Ffeindiwch ddau fand elastig hir
a chryf ac un botwm mawr.

CAM 4
Gwthiwch y bandiau elastig trwy
lygaid y botwm

CAM 5
Clymwch y botwm a'r bandiau
elastig wrth ffràm y clip papur

CAM 6
Trowch y botwm nes bod y bandiau elastig yn dynn

CAM 7
Rhowch y peiriant mewn amlen ac yna eisteddwch arno

CAM 8
Codwch un foch a byddwch yn barod i glywed sŵn soniarus!

SAITH FFAITH DDI-CHWAETH

Pasiodd yr Ymeradwr Clawdiws (10CC-54CC) ddeddf yn ei gwneud yn anghyfreithlon i beidio rhechen mewn gloddestau.

Mae pobl y Masai yn Tanzania yn meddwl ei bod hi'n lwcus poeri ar fabis newydd.

Gall rhech deithio ar gyflymder o 10 troedfedd yr eiliad.

Y cemegion sy'n bresennol mewn rhech: Nitrogen (N2), Ocsigen (O2), Carbon Deiocsid (Co2), Hydrogen (H2), Methan (Ch4)

Roedd yr hen Rufeinwyr yn defnyddio ymenydd llygod fel past dannedd.

Y creadur sy'n rhechen mwya ydy'r termit. Mae'r pryfaid yn cynhyrchu mwy o methan na phob un ffatri yn y byd.

Bob blwyddyn mae gwartheg yn cynhyrchu 50 miliwn tunnell o nwyion gwerthfawr drwy dorri gwynt. Gall y nwyion sy'n cael eu creu gan 10 buwch gael ei drawsnewid i mewn i bŵer i wresogi un tŷ am flwyddyn.

Modryb Mwydro

Y fodryb ofidiau waetha yn y byd

Annwyl Modryb Mwydro,
Mae fy ffrindiau i gyd yn dweud
'mod i'n hyll, ond dwi'n meddwl
bo nhw'n genfigennus, a 'mod i'n
brydferth. Pwy sy'n gywir?

Miss Anhysbys.

Ateb Modryb Mwydro:
Wel, Miss Anhysbys, (er, ei henw
iawn ydy Siobahn Crump, ac mae hi'n
byw yn Rhydaman), yn gynta, rhaid i
ni drafod natur prydferthwch. Maen
nhw'n deud fod prydferthwch yn
dod o'r tu fewn, ond ddaru fi
chwydu fy mhizza i fyny neithiwr, a
dwi'm yn meddwl 'sa chi'n medru
galw'r mes yna yn brydferth. A deud y
gwir, dwi'n meddwl taw fel 'na ma
lasagne yn cael ei greu. Odd o'n reit
flasus, ac oleia odd o'n gynnes.

Annwyl Modryb Mwydro,
Mae gen i broblem, mae'r awydd i ddwyn pethau yn dod drosta i bob dydd, a dwi'n poeni fy mod am gael fy hun i mewn i drwbl. Be fedra i neud?

Ateb Modryb Mwydro:
Dos i weld doctor, ac os dio'm yn medru helpu, yna tyrd â chwaraewr DVD imi.

Annwyl Modryb Mwydro,
Mae gen i broblem gwynt enfawr. Be dach chi'n awgrymu?

Ateb Modryb Mwydro:
Pryna farcud.

Annwyl Modryb Mwydro,
Mae gen i broblem sy'n peri cryn embaras i fi. Mae fy anadl yn drewi. Be fedra i neud am y peth?

Mr Drew Dodd, Caerdydd

Ateb Modryb Mwydro:
Pooooeeeee, ti'm yn rong wyt ti? O wynto'r amlen ddaru ti ddanfon, 'swn i'n deud taw dy dafod sydd ar fai. Pam 'sa ti ddim 'di gludo'r amlen efo tafod llai drewllyd? 'Sa tafod ci di neud jobyn gwell, a ma nhw'n byta eu nymbar twos! I ateb dy gwestiwn, tria gadw dy geg ar gau am weddill dy fywyd. Er, gan dy fod yn dod o Gaerdydd, dwi'n amau ydy hynny'n bosib. Falla ddylia ti ffeindio jobyn sy'n gweddu i dy broblem aflan. Stripiwr paent efalla?

HYSBYSEBION

Ar Werth

Ydych chi erioed wedi prynu Hufen Iâ ac yna ymhen munudau mae'r holl beth wedi toddi? Os ydych chi yna efallai gall "Y Chwistrell Cymorth Cynt-Iâ" fod o gymorth. Mae'n creu haenen blastig o amgylch eich hufen iâ felly fydd e byth yn toddi. Jest peidiwch â'i fwyta. Ffoniwch ni ar 09879 2345969

Peidiwch taflu eich hen beli tenis! Anfonwch nhw i Mrs Blean a neith hi hynny i chi yn rhad ac am ddim. Ffoniwch ni ar 02345 8905690

Ydych chi'n glyfar, yn olygus, efo sgiliau cymdeithasol da a lot fawr iawn o ffrindiau? Ydych? Wel, sdim ishe brolio am y peth, nagoes! Blwmin welwch-chi-fi. Ffoniwch ni ar 04534 5892987, a newn ni eich cnocio chi lawr peg neu ddau.

Ar Werth

Papur tŷ bach ail-law. Dim ond un perchennog gofalus. Mae'n dod mewn dau liw – brown a brown tywyll. Ffoniwch ni ar 08908 0549085

Ydych chi'n casáu adolygu? Ydych chi'n meddwl fod arholiadau yn wastraff amser? Wedi blynyddoedd o ymchwil mae awduron *Llyfr Mawr y Pants* wedi darganfod techneg syml fydd yn eich galluogi i basio unrhyw arholiad heb orfod gwneud unrhyw waith! Dilynwch y camau isod ac fe fedrwch chi sicrhau "A★" bob tro! Mwynhewch!

NODYN

Oherwydd natur sensitif a chyfrinachol y wybodaeth sy'n brintiedig ar y dudalen, mae'r camau wedi eu hysgrifennu mewn inc arbennig fydd yn diflannu ar y 25ain o Dachwedd 2006.

ANHEGWCH

Dwi'n gorwedd yn fy ngwely,
Yn troi a throi a throsi,
Pam fod Mam 'di anfon fi
I 'ngwely cyn 'ddi nosi

Ganol haf yng Nghymru fach,
Mae'n tywyllu tua deg,
Dwi fan hyn am wyth o'r gloch,
Mae'r holl beth mor annheg.

Mae'r adar yn dal i ganu,
A'r haul yn dal i wenu,
Gwên fach slei o ddirmyg pur,
Sy'n treiddio drwy fy llenni.

Fy ffrindiau sydd tu allan,
Fy ffrindiau oll sy'n rhydd
I 'ngwawdio yn ddidostur,
"Babi mam, mae'n olau dydd!"

Dwi'n cau fy llygaid pwdlyd,
Mewn ymgais wan i gysgu,
Bysedd blin i 'nghlustiau trist,
Pryd mae Mam am ddysgu?

Sefyllfa annerbyniol,
Sy'n fy nrysu'n waeth na phos,
Pan godaf bore fory,
Fydd hi'n dal fel canol nos!

'Di cyrraedd pen fy nhennyn,
A chyrraedd penderfyniad,
Am wyth o'r gloch nos fory,
Fe blediaf am estyniad.

10 BETH I BEIDIO A'U DWEUD WRTH MAM AR SUL Y MAMAU

1. Ches i ddim siocledi i chi, chi'n ddigon tew yn barod.

2. Ond, on i'n meddwl fod Sul y Mamau ddydd Mawrth dwetha.

3. Wedodd Dad bo chi ddim yn haeddu anrheg.

4. Ma'ch anrheg chi'n dal yn y siop.

5. Wi di ei roi e i Plant mewn Angen. Wi'n blentyn, ac on i angen losin.

6. Ond, ges i rywbeth i chi llynedd.

7. On i ddim ishe prynu blodau, mae gen i alergedd – i wario arian.

8. Rhois i e i mam Russel Jones – ma hi lot neisiach na chi.

9. Mae Sul y Mamau wedi ei ganslo eleni oherwydd diffyg diddordeb.

10. Sori, ydw i'n nabod chi?

HUNANGOFIANT DWAYNE LWNI Y PELDROEDIWR ENWOG, YNDE

Dwi'm yn cofio lot am 'y ngenedigaeth i, sy'n od iawn, 'chos ma Mam 'di deud bo fi deffinytli ene pan ddigwyddodd o. Yn y dyddia ene, oedd y doctors yn rhoi slap bach i'r babis, jest i helpu 'u deffro nhw. Ond pan ges i 'ngeni, dyma'r doctor yn

sbïo ar fy ngwyneb, a rhoi slap yr un i Mam a Dad. Ddaru fo wedyn droi ata i, ond yn ôl Mam, ddaru fi achub y blaen, a cicio fo yn ei drwyn.

Dach chi'n gweld, hyd yn oed bryd ene, on i'n sensetif iawn i'r ffaith fod pobl yn meddwl bo fi'n hyll. Fi? Hyll?

Ha! Os dwi'n hyll, sut dwi di landio girlfriend mor ddel? Da chi'm onistli yn meddwl fod fy Coloon annwyl yn mynd allan hefo fi jest achos 'y mhres i? Ac os dwi mor hyll, sut felly 'mod i wedi cael fy fotio fel "y person 'sa nhw isho dêt efo fwya," gan ddarllenwyr cylchgrawn *Sbectols Trwchus Misol*?

Ta waeth, yn ôl Mam, o'n i'n driblo lot pan o'n i'n fabi. Sgil sydd wedi dod yn handi iawn ar y maes pêl-droed ene, ynde. A nid jyst driblo'r bêl chwaith. Dwi'n medru neud fflobs sy'n ddigon i droi stumog yr amddifynnwr caleta. Dwi'n cofio unwaith rhedeg at Steffan Gerallt, a fo yn cochwyn gweiddi arna i, a deud petha cas am 'yn chwaer oedd ddim jest yn anwiredd, ond hefyd yn feiolegol amhosib. Ond on i'n barod amdana fo, ac wedi bod yn magu fflemsan yn y 'ngheg ers i'r chwiban chwythu ar ddechra'r gêm. Wrth iddo fo agor ei geg, dyma fi'n fflobio ato fo, ynde. Ath o'n syth i mewn i geg y twpsyn ene, a hitio fo reit yn ei donsils. Odd gynno fo ddim lot i ddeud ar ôl ene – wel, dim byd heblaw am 'Bleeeeeeeeeurgh'. Aeth ei wyneb o mor wyrdd â'r pitch, a dyma fi'n rhedeg heibio fo, a cicio un yn syth at y keeper. Piti bod y bêl ddim gin i ar y pryd, neu 'sa hi 'di bod yn gôl.

Ddaru diwrnod cwnta fi yn yr ysgol fach ene gochwyn yn anodd. Y cicio, y brathu, y poenydio. Ond yn y pen draw, ddaru Mam berswadio fi i adael y tŷ. On i'n meddwl fod y diwrnod cynta ene wedi mynd yn iawn, ond yn amlwg ddaru fi ddim neud yn ddigon da, 'chos odd rhaid i fi fynd yn ôl y diwrnod wedyn hefyd. 'Nes i ffeindio fo'n anodd deall y rheolau i gochwyn. Sut on i fod i wbod fod isho gofyn caniatad yr athro **cyn** neud pi pi, ac nid ar ôl, a hynna yn y tŷ bach 'fyd?

Falla deiff hwn fel sioc, ynde, ond don ni fawr o gop yn acamd... acadecam... yn rysgol. On i'n gwbod fod gan Mam a Dad gywilydd ohona i, pan ddaru nhw ddefnyddio enwau ffug yn noson y rhieni. Ond, un diwrnod, ar iard yr ysgol ene, dyma pawb yn cochwyn cymryd sylw ohona i. Ddaru fi ddarganfod bo fi'n gallu cicio'n arbennig o dda. Ac unwaith i mi benderfynu cicio pêl-droed yn lle athrawon, wel, newidiodd bob dim.

Coginio gyda Gordon Bleurgh

Hufen Iâ Blewog

Cynhwysion

2 fag rhewgell mawr

1 bag rhewgell enfawr

½ cwpanaid o laeth

½ llwy de o rhinflas fanila

1 llwy fwrdd o siwgr

4 cwpanaid o iâ wedi ei chwalu

4 llwy fwrdd o halen

2 ddarn o grawnfwyd gwenith wedi eu garpio (Shredded Wheat)

Cyfarwyddiadau:

- Rhowch y llaeth, y rhinflas fanila, a'r siwgr i mewn yn un o'r bagiau mawr.

- Caewch y bag gan wneud yn siŵr eich bod chi'n cael gwared ar yr holl aer sydd yn y bag.
- Rhowch y bag mawr i mewn yn y bag mawr arall ac yna ei gau (gan wneud yn siŵr eich bod chi'n cael gwared ar yr holl aer)
- Rhowch y bagiau mawr i mewn yn y bag enfawr.
- Llenwch y bag enfawr efo'r iâ a'r halen.
- Caewch y bag enfawr gan wneud yn siŵr eich bod yn cael gwared ar yr holl aer.
- Lapiwch y bag efo tywel ac yna ei ysgwyd a'i dylino am ddeg munud.
- Ymhen deg munud fe fydd y cymysgedd yn y bag mawr wedi ei drawsnewid i mewn i hufen iâ.
- Rhowch yr hufen iâ mewn powlen.
- Pigwch ddarnau hir o wenith wedi eu garpio.
- Gosodwch y gwenith ar ben yr hufen iâ.
- Mwynhewch eich Hufen Iâ Blewog.

SAITH FFAITH DI-CHWAETH

Yn Nghiwba yn 1994, yn dilyn prinder cenedlaethol o bapur tŷ bach, cafodd holl lyfrau'r wlad eu dwyn o'r llyfrgelloedd gan y boblogaeth flin.

Mae'r chwilen ddu mor galed, maen nhw'n medru byw am naw diwrnod heb eu pennau.

Mae pobl llaw dde yn chwysu mwy o dan eu cesail chwith, a phobl llaw chwith yn chwysu mwy o dan eu cesail dde.

Mae'r person arferol yn cynhyrchu 50,000 peint o salifa yn ystod ei fywyd.

Gŵr o wlad Belg sy'n dal y record am y blew trwyn hira. Roedd ei flew yn mesur 5¼ modfedd.

Mae'r person sy'n dal y record am dishian yn byw ym Mhrydain. Fe dishianodd am 978 diwrnod cyn stopio ar 16eg o Fedi 1983.

Roedd y perfformiwr Le Petomane o Ffrainc yn medru defnyddio ei ben-ôl i ganu, ac yn medru rhechen o A waelod i C ucha.

Mewn trwbl yn yr ysgol? Athrawon yn mynnu eich bod chi'n eistedd yn rhes flaen y dosbarth? Treulio lot o amser tu allan i stafell y Prifathro? Efallai gall *Llyfr Mawr y Pants* fod o gymorth. Copïwch y llythyr isod a rhowch gopi i'ch athro.

Llythyr i'ch Athro

Mae'n ddrwg iawn gennyf am fy ymddygiad a'r trafferth rwyf wedi ei achosi. Does yna ddim esgus am yr hyn ddigwyddodd yn y stafell ddosbarth.

Sylweddolais heddiw pa mor bwysig ydy addysg dda, yn enwedig os ydw i am wireddu fy mreuddwyd i redeg siop lyfrau.

Yn bennaf hoffwn i gael y cyfle i brofi i chi mai nid hwligan ydw i ond person sy'n barod i ddysgu.

Dyma fy nghyfle i geisio bod yn berson gwell. Rhywun da. Rhywun nobl. Rhywun gall pawb ei edmygu. Gyda chymorth fy ffrindiau a fy athrawon wi'n siŵr y medraf fod yn ddisgybl disglair iawn.

Llythyr i'ch Athrawes

Mae'n ddrwg iawn gennyf am fy ymddygiad
a'r trafferth rwyf wedi ei achosi. Does yna ddim
esgus am yr hyn ddigwyddodd yn y stafell ddosbarth.

Mae'n amser i mi sylweddoli fod yna lot fwy
i fywyd na chwarae'r ffŵl. Gallaf eich
sicrhau y byddaf yn berson difrifol, cydwybodol a
synhwyrol o hyn ymlaen.

Yn bennaf hoffwn i gael y cyfle i brofi i chi taw
nid hwligan ydw i, ond person sy'n barod i ddysgu.

Dyma fy ngyfle i geisio bod yn berson gwell.
Rhywun da. Rhywun nobl. Rhywun gall pawb ei
edmygu. Gyda chymorth fy ffrindiau a fy athrawon
wi'n siŵr y medraf fod yn ddisgybl disglair
iawn.

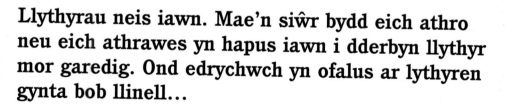

**Llythyrau neis iawn. Mae'n siŵr bydd eich athro
neu eich athrawes yn hapus iawn i dderbyn llythyr
mor garedig. Ond edrychwch yn ofalus ar lythyren
gynta bob llinell...**

GÊM
"MAE DY FAM MOR DEW"

Mae'r rheolau'n syml. Cymerwch eich tro i sarhau mamau eich ffrindiau. Y sarhad gwaetha sy'n ennill. Dyma esiampl.

Mae dy fam mor dew, pan aeth i'r sinema, eisteddodd wrth ymyl pawb.

Mae dy fam mor dew, cafodd ei bedyddio yn Sŵ Môr.

Mae dy fam mor dew, mae ganddi ei chôd post ei hun.

Mae dy fam mor dew, pan eisteddodd ar geiniog, saethodd snot allan o drwyn y frenhines.

Mae dy fam mor dew, pan neidiodd yn yr awyr, fe aeth yn styc.

Mae dy fam mor dew, pan gafodd gwt ar ei braich, fe lifodd grefi allan.

Mae dy fam mor dew, toes neb yn medru siarad tu ôl i'w chefn.

Mae dy fam mor dew, mae'n medru mynd i Glan-llyn a Llangrannog ar yr un pryd.

Mae dy fam mor dew, mae ganddi ddau bassport.

Mae dy fam mor dew, pan gwmpodd mewn cariad, nath hi ei dorri fe.

Mae dy fam mor dew, mae'n cario 'pres' mewn un poced, ac 'arian' yn y llall.

Mae dy fam mor dew, mae'n medru canu deuawd ar ei phen ei hun.

Mae dy fam mor dew, mae'n hanner Gog, hanner Hwntw a hanner Cardi.

Mae dy fam mor dew, gadawodd y tŷ mewn sodlau uchel, a dychwelyd yn gwisgo fflip fflops.

Mae dy fam mor dew, pan aeth i draeth Porthcawl, 'mond hi gaeth lliw haul.

Mae dy fam mor dew, mae gan ddynion y tywydd enwau ar gyfer ei rhechfeydd.

Mae dy fam mor dew, 'Y Cyhydedd' yw maint ei belt.

Mae dy fam mor dew, pan mae'n agor yr oergell, mae'r oergell yn dweud 'Help!'

Mae dy fam mor dew, ei hoff ffrog yw Pafiliwn yr Eisteddfod.

Mae dy fam mor dew, mae'n llenwi'r bath, ac wedyn yn troi'r dŵr ymlaen.

DEG PETH I BEIDIO Â'U DWEUD YN YR EISTEDDFOD.

1. Pam fod y dynion yna yn gwisgo ffrogiau gwyrdd, gwyn a glas?

2. Ma hwn yn grêt! Mae e fel X Factor, ond lot yn llai pwysig.

3. Hoffwn adrodd fy hoff gerdd, "Dafydd Dafydd Ffos y Ffin…".

4. Ma cadair braidd yn ddiflas fel gwobr. Falle 'sa soffa yn fwy defnyddiol?

5. Yw e'n orfodol cael cyhyryau ychwanegol yn eich gwyneb yn y gystadleuaeth adrodd?

6. Plîs arestiwch y dyn gwallgo ar y llwyfan, mae ganddo gleddyf.

7. Mae fy rhieni am ail-forgeisi ein tŷ er mwyn prynu byrgyr i mi.

8. Codi ar gyfer yr anthem? Gyda fy nghefn tost i?

9. Chi'n siŵr fod llwgrwobrwyo'r beirniaid yn cyfri fel twyllo?

10. Hmmmmm, so fe cweit yn Glastonbury yw e?

PANTS MEWN ANGEN

A chithau bron wedi cyrraedd hanner ffordd trwy'r llyfr, gofynnwn i chi gymryd saib i feddwl am bants llai ffodus na'ch rhai chi. Ledled Cymru, mae na bants yn cael eu hanwybyddu.

Efallai eu bod wedi mynd yn rhy hen i'w gwisgo, neu yn rhy fudr i'w golchi. Mae na hefyd arferiad anffodus wedi datblygu o bants yn cael eu taflu oherwydd fod arnyn nhw batrwm anffodus. Mae'r holl bants yma yn cael eu taflu o'r neilltu gan berchnogion di-feddwl, eu hurddas wedi ei danseilio gan barau newydd o bants. Ond gyda'ch help, fe fedrwn ailgartrefu y pants yma.

Felly, os hoffech chi roi ailgyfle i bâr o bants, yna ysgrifennwch atom at y cyfeiriad isod.

**PANTS MEWN ANGEN
STRYD TONYPANTY
PANTSMAWR
PA3 NT2**

**Cofiwch, fod gan bants
deimladau hefyd.**

CÔD BROWN

Côd Brown, Côd Brown, 'chos ma Dad ar y pan,
Agorwch y ffenest, trowch mlaen y ffan,
Mae ei wynt sâl am befrio i bob man
Côd Brown, Côd Brown, 'chos mae Dad ar y pan.

Côd Brown, Côd Brown mae Dad ar y tŷ bach,
Dwi a fy nheulu mewn tipyn o strach
Mae'n drewi yn waeth nag anadl gwrach,
Côd Brown, Côd Brown mae Dad ar y tŷ bach,

Côd Brown, Côd Brown, 'chos mae Dad ar y laf,
Rhedwch bob un mas trwy'r drws agosaf,
Mae'n fwy arswydus na Chalan Gaeaf,
Côd Brown, Côd Brown, mae Dad ar y laf.

Côd Brown, Côd Brown, 'chos mae Dad ar y bog,
Mae'r drewod ddaw o'r dyn yn fyd-enwog,
Cuddiwch da chi boed yn Hwntw neu Gog,
Côd Brown, Côd Brown, 'chos mae Dad ar y bog,

Côd Brown, Côd Brown, mae Dad yn y lle chwech,
Os na newn ni ddianc, eiff pethau yn drech,
Mae'n anodd neud y gerdd heb ddefnyddio'r gair 'rhech'
Côd Brown, Côd Brown, mae Dad yn y lle chwech,

Côd Brown, Côd Brown, mae e newydd ddod mas,
A nawr rhaid i'r teulu ddiodde'i wynt cas,
Dyw e jest ddim yn drewi, mae ganddo rhyw flas
Côd Brown, Côd Brown, dwi am basio mas.

Pos y Pants 2

```
P E R H L B N O L R W L S Q I
N B F U E X O C U C W I C R D
S N O R T N Y N I L L T B U S
U T H T R G D L C E U L S R L
D L L Y R T E L F Y W K D H Z
X W Q N E C L E U F R U I S P
C V H C O N I H F F B S L W S
V A M C P E O T P P P T M D E
R W F A R C T O N M L P Q R G
D O M D A N L P W O E F T G W
S L S F Y E Y R L N I A N U O
V G F W R O T R Y T I R Y B Q
L O F F K X P W O L F S I N N
Q V L L O E R I G L N U N W E
N X E Q H R W V Y T P L Y S G
```

A fedrwch chi ffeindio'r geiriau isod?

~~BONCYRS~~	LLINYN TRONS
BUDR	LLOERIG
CHWD	PLORYN
CNEC	POER
CRAFWR	POTHELL
DOMDA	PWMPEN
FFOL	RWTSH
FFWLBRI	TAIL
GWIRION	TOILED
HURTYN	TRWMP

Cwis "Wyt Ti'n Gymro?"

1) Pwy oedd Tywysog Ola Cymru?

a) Llywelyn Ein Llyw Ola

b) Llywelyn Ein Llyw Ola Ond Un

c) Llywelyn Ein Llyw Nesa

ch)Y Lliw Ola welodd Llywelyn oedd Brown

2) Pa fwystfil sydd ar Faner Cymru?

a) Draig

b) Orangutang

c) King Kong

ch) Denzil

3) Mae'r orsaf drenau efo'r enw hira yn y byd yng Nghymru. Be ydy enw'r orsaf?

a) Llanfairpwllgwyngyllgogerychwyrndrobwll-llantysylioogogoch

b) Llanfairpwllnofiogogerysiopsglodionlan-dynsiliabochaucoch.

c) Lanfairpoolgweengillgogearythwyrn-troubleantyceilingokcork.

ch)Rhyl

4) Sawl cynnig sydd 'na i Gymro

a) Tri.

b) Pedwar, achos odd yr un cynta ddim yn cyfri, o'n i'm yn barod.

c) Tri i Gymro, ond mae Cymraes yn ei gael o'n iawn ar y tro cynta.

Ch) Os yw e'n Gymro mawr blin, yna cymaint o gynigion ag ma fe ishie.

5) Gorffennwch enw'r Anthem Genedlaethol – "Hen Wlad Fy......"

a) Nhadau

b) Mamau

c) Antis

ch) Ail Gefnder ar ochr mam.

6) Pwy yw nawdd Sant Cymru?

a) Dewi Sant

b) Sant Padrig

c) Sain Ffagan

ch) Sain Gwbod

7) Lle mae Canolfan Iaith Cymru?

a) Nant Gwrtheyrn

b) Nant Tucket

c) Nantymynyddgroywloywynymdroellitua-mhants

ch) Nant 'n Dec.

8) Beth yw enw'r opera sebon a leolir yn Nghwmderi

a) Pobl y Cwm

b) Pobl y Llwm

c) Pobl y Wobl

ch) Y tri ateb uchod

9) Beth yw'r mynydd mwya yng Nghymru?

a) Yr Wyddfa
b) Y Swyddfa
c) Bryn Cyprus
ch) Bryn Terfel

10) Beth yw iaith y nefoedd?

a) Cymraeg
b) Slang odli'r Cocni
c) Côd Morse
ch) Klingon

Os atebwyd 'a' i bob un o'r uchod, yna llongyfarchiadau, rydych yn Gymro i'r carn, a dyliach chi fynnu eich bod yn dod yn aelod o'r Orsedd.

Os ateboch chi 'b', yna sai'n meddwl bo chi di deall y cwis ma'n iawn.

Os ateboch chi 'c' yna wi'n hollol sicr bo chi heb ddeall y cwis ma'n iawn. Naill ai hynny, neu chi'n dwp.

Os ateboch chi 'ch' i bob cwestiwn, yna chi'n bendant yn dwp. Naill ai hynny, neu mae gennych flewyn yn styc yn eich gwddf.

HYSBYSEBION

Isho lliw haul ond ddim isho talu prisau y Stryd Fawr? Gall Ffarmwr John Williams a'i chwalwr tail fod o gymorth. Ffoniwch John ar **09294 7575034**

Yw eich cof yn eich gadael i lawr? A beth am eich cof? Yw hwnna'n eich gadael lawr hefyd? Ffoniwch nawr am becyn ar 08858 34534589. Sgwennwch o lawr cyn i chi anghofio.

Ydych chi'n cael trafferth efo'r wê? Ffoniwch Peter Parker ar 01124 6235678

Wyt ti wedi syrthio a brifo dy hun yn y 3 mis dwethaf? Wel, falle ddylset ti edrych lle ti'n mynd tro nesa y twpsyn! Ffonia ni ar **024587 90723259**

Ar Werth: Hanner powlen o greision ŷd. Wi newydd sylweddoli fy mod i'n casau cresion ŷd. Ma lot gwell 'da fi uwd. Pris rhesymol. Llaeth yn gynwysiedig. Ffoniwch Gareth ar 023427 34692346

Oes gramadeg ti problem achosi? Ffoniwch am hyfforddiant ar 09879 74583939

Ar Goll: Pâr o sbectol… arhoswch eiliad maen nhw ar fy nhrwyn! Am dwpsyn! Anwybyddwch yr hysbyseb yma.

DAROGAN GYDA
DARREN ORGAN

Y Cariwr Dŵr – Ionwar 20 – Chwefror 18

Mae gennych dueddiad i edrych yn anghyfforddus mewn unrhyw sefyllfa, efallai oherwydd eich bod yn gwrthod gollwng y dŵr rych chi'n ei gario. Buasai ymweliad â'r tŷ bach yn gwneud byd o les i'ch bywyd personol. Cofiwch olchi'ch dwylo.

Y Pysgod – Chwefror 19 – Mawrth 20

Mae eich anadl yn drewi'n ofnadwy, ac felly dyma pam eich arwydd yw 'YYYYYY, Pysgod!' Efallai buasech yn hapusach eich byd wedi i chi gael eich amgylchynu gan sglodion seimllyd. Mae gennych gof gwael, ond peidwich poeni, gofiwch chi byth mo hynny.

Yr Hwrdd
Mawrth 21 – Ebrill 19

Mae gennych dueddiad i ddilyn pobl eraill fel dafad. Ond rhaid i chi gofio taw hwrdd ydych chi, felly siafiwch eich pen, a gadewch i'ch cyrn cyrliog ddangos y ffordd i chi. Efallai wedyn medrwch chi fytio pob problem allan o'ch bywyd. Gwnewch yn siŵr fod yr heddlu ddim yn eich dal.

45

Y Tarw – Ebrill 20 – Mai 20

Mae pobl yn meddwl eu bod yn medru eich arwain ar gyfeiliorn, fel petai gennych fodrwy trwy eich trwyn. Ond, os gadewch chi'r bobl yma i'ch tynnu i'r cyfeiriad anghywir, nhw fydd â snot ar eu dwylo. Peidiwch gadael i neb eich bwl-io.

Yr Efeilliaid – Mai 21 – Mehefin 20

Mae pobl yn dweud fod gennych ddau bersonoliaeth, ond efallai mai ffordd boleit ydy hyn o ddweud wrthoch chi am golli pwysau. Mae dau ben yn well nag un, ond ddim ond os oes inc ynddyn nhw. Cymrwch bwyll pan ych chi rhwng dau feddwl, mae eich ymenydd yn bwysicach na'ch amynedd.

Y Cranc – Mehefin 21 – Gorffenaf 22

Mae eich tueddiad i gerdded wysg eich ochr ym medru achosi cryn broblemau, yn enwedig ar balmant cul. Peidwch gadael i bethau ddianc o'ch crafangau, a byddwch yn ofalus efo pwy dach chi'n siglo llaw. Toes neb yn hoffi cael ei binsio gan berson crablyd.

Y Llew – Gorffenaf 23 – Awst 22

Rhuo'n gynta, gofyn cwestiynau yn ail yw eich gwendid. Hyn, a byta twristiaid ar saffari. Efallai dylsech chi boeni llai am eich delwedd – toes na fawr o siwrnai o'r mwng i'r mwngrel. Mae un o'ch dannedd yn medru arwain at wely gwlyb, er bod rhai yn honni fod y pi-pi yma yn o-lew.

Y Forwyn – Awst 23 – Medi 22

Yn gynta, forwyn, dos i neud paned i fi. Mmmmmm, dyna welliant. Uuuuuuurgh, dau siwgr wedes i! Iawn, ti di neud 'yn smwddio i, forwyn? Do? Da iawn. Beth am 'y 'mhants i? Wel, dos i neud rheina. Iawn, paned arall, nawr! Be arall – oh ie, efallai fod gen ti dueddiad i adael i bobl dy wthio o gwmpas.

Y Glorian – Medi 23 – Hydref 22

Mae pwyso a mesur dwy ochr i bob sefyllfa yn medru blino eich breichiau. Byddwch yn wyliadwrus pan mae Jamie Oliver yn eich defnyddio i bwyso blawd, ac yna eich gwneud yn stici gyda'r glyfoer sy'n dod o'i dafod mawr tew.

Y Sgorpion - Hydref 23 - Tachwedd 21

Ceisiwch guddio'r siom fod eich enw yn gyfieithiad diog o'r gair Saesneg.
Mae'r pigyn yn eich cynffon yn beryglus, felly byddwch yn ofalus wrth
eistedd i lawr. Byddwch hefyd yn ofalus ar bwy dach chi'n pigo, a da chi,
peidwch pigo eich trwyn.

Y Saethyll - Tachwedd 22 - Rhagfyr 21

Diolchwch fod eich enw Cymraeg gymaint yn haws i'w sillafu na
Saggitta... Sagitttar... Sagggggitt... sdim ots. Pwyll piau hi gyda eich
saethau, gewch chi lygaid rhywun allan os nad ydych yn ofal –
AWWWWWWWWWWWW! Help, Mami!

Yr Afr - Rhagfyr 22 - Ionawr 19

Oes yna un ohonoch chi eto? Wel oes, a chi angen eich godro, felly da
chi, stopiwch grwydro ar y creigiau geirwon 'na. Sdim ots 'da fi pa liw yw
eich ystlys a'ch cynffon, stopwch whare bili, gafr.

Sut I Greu Saethwr Bandiau Elastig

Rhowch un pen o fand elastig dros eich mynegfys. Tynnwch y band dros eich bawd a bachwch ben arall y band elastig dros eich bys bach. Twciwch eich ail a'ch trydydd bys i mewn i'ch cledr.

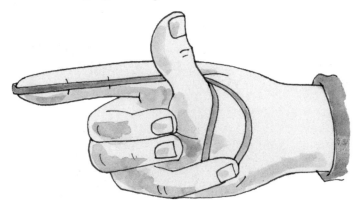

Pwyntiwch eich mynegfys tuag at eich targed a chodwch eich bys bach i ryddhau'r band elastig. Syml, ond hynod effeithiol!!

Anturiaethau Barti Frown

O ddyddiadur Walter Williams (Trydydd Mêt llong y Ci Du)

Dwi'n cofio'r tro cynta i mi gwrdd â Barti Frown, môr-leidr gwaetha Cymru, fel petai'n ddoe. Y rheswm am hyn yw taw ddoe y cwrddais ag e am y tro cynta. Mae'n ddyn eitha unigryw, a chanddo amryw o anafiadau diddorol, felly cymerais fy nghyfle i'w holi am natur rhain.

"Dywedwch wrtha i Capten, sut gaethoch chi'r goes bren?" gofynnais.

"Arrr," atebodd y Capten, "digwyddodd hynny amserrr maith yn ôl.

"Rrroeddwn i ond yn Fôrrr-Leidrrr ifanc arrr y prrryd – beth oedd yn cael ei alw yn 'Fôrrr-Benthyciwrrr'. Capten ein llong oedd Ffarti Ddu, o Wyntcasnewydd-fach, dyn annymunol a ganddo fawrrr o amynedd gyda glaslanc fel fi. Rrrroedd fy nghoesau yn stiff wedi noson yn y gali, a dyma fi'n dechrau cwyno wrth Ffarti am y stiffrwydd hwn. 'Ma ishe i ti adael y gwaed lifo'n rrrhydd trrrwy dy goesau, y twpsyn diog. Pam na 'nei di drrrio cerrrdded, y planc?'

"Camddeallais ei gyngorrr, a mynd i gerrrdded y planc, a glanio mewn llond môrrr o siarrrcod o drrrwbl. Mi on i wedi clywed taw'rrr fforrrdd i errrlid siarrrc oedd ei gicio yn ei drrrwyn. Mi on i'n rhannol llwyddiannus. Wrrrth i mi anelu at drrrwyn y siarrrc, agorrrodd y siarrrc ei geg, a brrrathu fy nghoes i ffwrrrdd. Rrrroedd pethau'n edrrrych yn ddu, yn goch, *ac* yn frrrown arrrna' i. Ond, fe lwyddais i ddianc. Ti'n gweld y mwclis yma o ddanedd siarrrcod o amgylch fy ngwddf?"

"Danedd y siarc wnaeth eich brathu?" gofynnais, yn llawn edmygedd.

"Na, ges i hwn yn Rhyl. Mae o'n neis 'ntydy," atebodd Barti. "Brrrynodd Ffarti Ddu hwn i fi wedi iddo fy achub fel anrrrheg

am wneud iddo chwerrrthin gymaint. A dyna pam mae gen i'rrr goes brrren yma."

Cymerodd Barti y goes bren yn ei law, er mwyn i mi fwrw golwg agosach arni. Wrth i mi syllu arno, sylweddolais fod Barti wedi cwympo drosodd, ac felly fe godais e lan ar ei draed, a gofyn am fwy o straeon.

"Misoedd yn ddiweddarrrach," meddai Barti "ac mi on i errrbyn hyn yn bymthegfed mêt i'rrr capten. A dyna prrryd derbyniais i hwn."

Cododd Barti ei fraich dde. Ar waelod ei fraich, yn hytrach na llaw, roedd ganddo fforc rydlyd.

"Siarc arall?" gofynnais.

"Na, y trrro yma Ffarti Ddu ei hyn oedd yn gyfrrrifol," meddai Barti yn drist. "Rrrroedd yn genfigennus o'rrr parrrch on i'n ei gael gan weddill y crrriw wedi'rrr ymosodiad gan y siarrrc. Rrrroedd yn gas ganddo'rrr ffaith fod pawb am siglo fy llaw, neu rhoi 'pump uchel' i mi. Ac felly, yng nghanol y nos, fe dorrrodd fy llaw i ffwrrrdd, ac wedyn fy nhaflu i oddi arrr y llong, a 'ngadael arrr ynys anghysbell, yn llawn o bobl gwyllt a gwallgo."

"Ond, fe ddysgais i hoffi trrrigolion Sirrr Fôn, yn enewdig y fforrrdd rrroedden nhw'n hoff o ddweud wrtha i lle i fynd, gan bwyntio a dweud, 'Jest dos ffor 'cw'. Dyna sut ges i'r syniad o roi fforc lle bu fy llaw, er mwyn cael help i bwyntio a bwyta."

Mi on i'n medru gweld fod adrodd yr hanesion yma'n blino Barti, ac felly dyma fi'n awgrymu y dyliai eistedd lawr i orffwyso.

"Na," meddai Barti, "cefais ddamwain arrr Ynys Môn, ac errrs hynny mae wedi bod yn amhosib i mi eistedd i lawrrr."

"Sut fath o ddamwain? Gafoch chi eich brathu gan siarc eto neu eich brifo mewn brwydyrrr?" gofynnais.

"Na. Fe ddigwyddod pan on i arrr y tŷ bach. Rrrroedd tai bach y dyddiau hynny yn afiach, a mond papurrr tŷ bach garrrw oedd arrr gael," meddai Barti.

Chwerthais yn uchel. Roedd yr holl beth mor anghredadwy.

"Dewch mlaen Capten, rydych wedi goresgyn ymosodiadau gan fôr-ladron a siarcod. Ydych chi wir yn disgwyl i mi gredu eich bod chi'n methu eistedd lawr oherwydd papur tŷ bach garw?"

"Nid y papurrr tŷ bach garrrw oedd y brrroblem," atebodd. "Anghofias am y fforrrc wrrrth i mi sychu fy mhen-ôl."

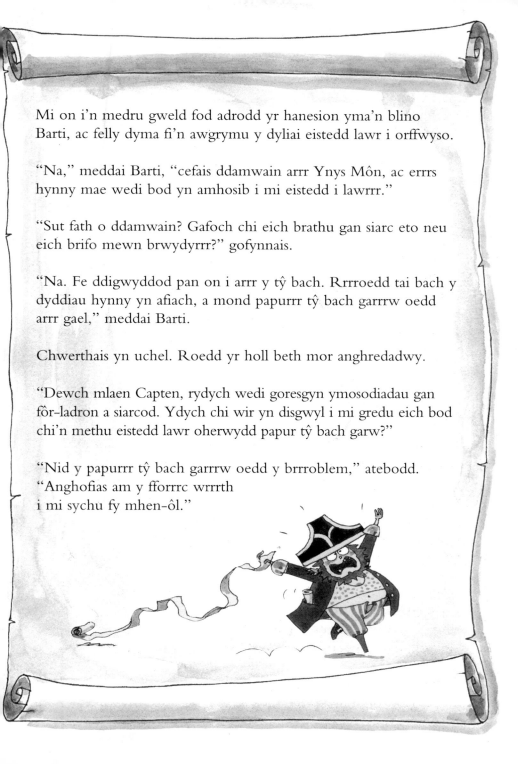

SAITH FFAITH DI-CHWAETH

Mae gan y jiraff dafod sy'n mesur 21 modfedd, ac felly y Jiraff ydy'r unig anifail sy'n medru llyfu ei glust ei hun.

Gan fod y panda yn treulio 14 awr bob dydd yn bwyta bambŵ, mae'n gorfod mynd i'r tŷ bach 48 gwaith y diwrnod.

Mae llyffantod yn rholio eu llygaid er mwyn gwthio bwyd o'u cegau i lawr i'w stumogau.

Mae llyffantod hefyd yn medru chwydu gyda gymaint o bŵer, maent yn chwydu eu stumogau allan trwy eu cegau.

Ar ddiwrnodau oer, mae gorilas yn bwyta eu pw-pws er mwyn cael pryd o fwyd cynnes.

Mae'r ymlusgiad corniog yn amddiffyn ei hun drwy wthio'r holl waed yn ei gorff i mewn i'w ben. Mae pwysedd y gwaed yn achosi i'w lygaid i hollti, gan chwistrellu gwaed at ei elyn.

Mae tylwyth yr Yanomami yn Ne America yn cyfarch ei gilydd drwy rechen.

JÔCS I'W DWEUD YN YR YSGOL

Faint o athrawon sy'n gweithio yng Nghymru?
Tua eu hanner nhw.

MAM – Tyd o 'na Joni bach, fyddi di'n hwyr i'r ysgol.
JONI – Sdim brys Mam, ma nhw ar agor tan hanner awr wedi tri.

DAD – Sut wyt ti'n mwynhau ysgol?
JONI – Wel, mae'r daith yna'n iawn, a wi'n mwynhau dod adre, ond sa i cweit yn siŵr am y darn yn y canol.

DAD - Be ddysges di yn yr ysgol heddiw, Joni?
JONI - Sut i ysgrifennu.
DAD - A be sgwenes di?
JONI - Sa i'n gwbod. So nhw 'di dysgu ni shwd ma darllen eto.

MAM – Joni, pam wyt ti newydd lyncu'r arian yna?
JONI – Wedoch chi taw hwnna oedd fy arian cinio.

ATHRO – Joni, ma isho i ti dalu sylw. Wyt ti'n cael trafferth clywed?
JONI – Na, trafferth gwrando.

"Sori, ond mae Joni yn methu dod i'r ysgol heddiw, achos 'i fod o'n sâl."
"Oh diar. Ac efo pwy dwi'n siarad?"
"Fy nhad."

MAM – Sut nes di mor wael yn dy arholiad?
JONI – Oherwydd absenoldeb.
MAM – Ond, doeddet ti ddim yn absennol bryd hynny.
JONI – Na, ond mi oedd y bachgen sy'n eistedd wrth fy ymyl i yn absennol.

JONI – Mam, Mam, wishe pi-pi.
MAM – Joni! Paid dweud hynna. Tro nesa, gwed "Wishe sibrwd."
JONI – Iawn mam. Dad, dad, wishe sibrwd!
DAD – Wyt ti? Wel dere draw fan hyn a sibryda yn 'y nghlust i.

ATHRO – Joni, beth yw dau a dau.
JONI – Pedwar.
ATHRO – Da iawn.
JONI – Da iawn? Ma'n berffaith!

Beth yw'r beth gwaetha fedrwch chi ddarganfod yn ffreutur yr ysgol?
Y bwyd.

Pwy ddyfeisiodd ffracsiynau?
Harri'r Wythfed.

ATHRO – Joni, pam wyt ti'n neud mor wael yn dy wersi hanes?
JONI – Achos bo chi'n dal i sôn am bethau a ddigwyddodd cyn i mi gael fy ngeni.

ATHRO – Pam cafodd Gelert ei gladdu ym Meddgelert?
JONI – Achos ei fod e wedi marw.

ATHRO – Joni, nes di gopio atebion Sion Jones yn ystod dy arholiad.
JONI – Shwd ych chi'n gwbod?
ATHRO – Achos pan ysgrifenodd Sion "Dwi ddim yn gwbod" ar ôl un o'r cwestiynau, ysgrifennes di, "Na finne chwaith".

JONI – Sa i'n meddwl on i'n haeddu cael 'dim' am yr arholiad yma.
ATHRO – Yn anffodus, dyna'r marc isa o'n i'n medru rhoi.

Sut i greu bom dŵr

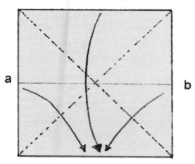

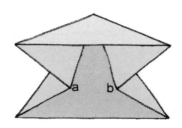

CAM 1
Plygwch ddarn o bapur sgwâr yn ei hanner ac yr un pryd gwthiwch pwynt 'a' a phwynt 'b' tuag at ei gilydd.

CAM 2
Plygwch y papur i mewn i siâp triongl.

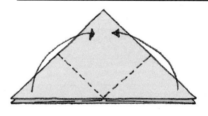

CAM 3
Dyma sylfaen eich "BOM DDWR"

CAM 4
Plygwch y ddau gornel tuag at dop y triongl

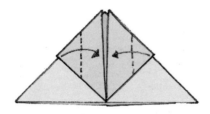

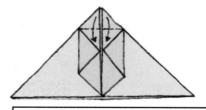

CAM 5
Plygwch y ddau fflap tuag at y canol.

CAM 6
Plygwch y ddau fflap bach i lawr.

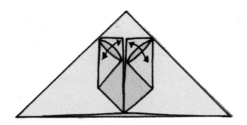

CAM 7
Mae'r fflapiau gafodd eu creu
yng ngham 5 wedi creu dau
boced bach.

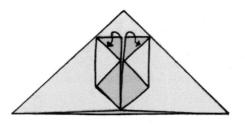

CAM 8
Gwthiwch y fflapiau
i mewn i'r pocedi.

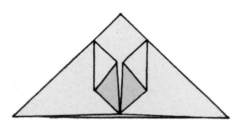

CAM 9
Dilynwch cam 4 i 8 ar ochr
arall y papur.

Cam 10
Mae'r "BOM DŴR" yn barod.

CAM 11
Rhwygwch dop y "BOM DŴR"
a chwythwch i fewn i'r twll.

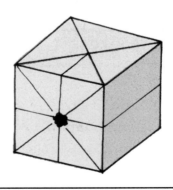

CAM 12
Llenwch y "BOM DŴR" llawn
dŵr a mwynhewch

Llenwch y Bylchau

Ceisiwch lenwi'r blychau efo'r geiriau isod. Cofiwch dim ond un fordd sy na o wneud y pos!

POER	IDIOT	RHECH	DRONGO
FFYLGI	SLEBOG	PWMPEN	TOILED
DRIBLAR	POTHELL	GWIRION	LLOERIG
BONCYRS	FFWLBRI	FFRWTIAN	

GÊM
"MAE DY DAD MOR HYLL"
OS YDYCH CHI WEDI BLINO AR ALW MAMAU EICH FFRINDIAU YN DEW BE AM DRIO RHAIN?

Mae dy dad mor hyll, 'se fe'n fwgan brain, 'se'r ŷd yn rhedeg i ffwrdd.

Mae dy dad mor hyll, mae'n neud i nionod grio.

Mae dy dad mor hyll, pan orweddodd ar draeth Llanddwyn, ceisiodd cath ei gladdu.

Mae dy dad mor hyll, pan edrychodd allan drwy'r ffenest, cafodd ei arestio am wneud mwni.

Mae dy dad mor hyll, mae Calan Gaeaf nawr ar ei ben-blwydd.

Mae dy dad mor hyll, mae dy fam yn mynd â fe i'r gwaith er mwyn osgoi rhoi cusan ffarwel iddo.

Mae dy dad mor hyll, mae ei ddeintydd mond yn medru ei drin trwy ebost.

Mae dy dad mor hyll, mae anifeiliad Sŵ Bae Colwyn yn ei fwydo.

Mae dy dad mor hyll, pan daflodd fwmerang, fe wrthododd ddod 'nol.

Mae dy dad mor hyll, pan gerddodd i mewn i'r banc, bu'n rhaid diffodd y CCTV.

Mae dy dad mor hyll, pan mae'n edrych yn y drych, mae ei adlewyrchiad yn cuddio.

Mae dy dad mor hyll, mae pobl yn talu'r syrcas i beidio â'i weld.

Mae dy dad mor hyll, pan aeth ar y Trên Sgrech, cynigiwyd swydd iddo.

Mae dy dad mor hyll, mae'n neud y Twrch Trwyth yn genfigennus.

Mae dy dad mor hyll, mae angen bod yn 18 i fynd i'w weld

Mae dy dad mor hyll, pan mae'n deffro yn y bore, mae'r haul yn machlud.

Mae dy dad mor hyll, enillodd y Rhuban Las yn y Sioe Amaethyddol.

Mae dy dad mor hyll, mae angen ei fwydo gyda gwialen pysgota.

Mae dy dad mor hyll mae'n rhoi hunllefau i Quasimodo.

Mae dy dad mor hyll, pan aeth i Eisteddfod y rhai hyll, dywedodd y beirniaid 'Amaturiaid yn unig sy'n ei erbyn!'.

Coginio gyda Gordon Bleurgh

Cacen Cat Litter

Cynhwysion:
1 Pecyn o gymysgedd Cacen Siocled o'r Archfarcnad.
1 Pecyn o gymysgedd Cacen Siocled Wen o'r Archfarchnad
1 Pecyn o fisgedi Custard Cream
1 Pecyn o Bwdin blas Cyflaith Menyn (Butterscotch)
12 baryn fach o siocled llawn caramel caled

Cyfarwyddiadau:

- Paratowch y ddwy gacen gan ddilyn y cyfarwyddiadau ar y pecynnau. Wedi iddyn nhw bobi gadewch i'r cacennau oeri.
- Paratowch y Pwdin blas Cyflaith Menyn ac yna ei osod yn yr oergell.
- Defnyddiwch brosesydd bwyd i friwsioni bisgedi.

- Unwaith mae'r cacennau wedi oeri, chwalwch y ddwy gacen mewn bowlen fawr.

- Ychwanegwch hanner y briwsion bisgedi a digon o'r pwdin i wneud y gymysgedd yn llaith ond ddim yn rhy soeglyd. Arllwyswch y cymysgedd i mewn i gynhwysydd hirsgwar.

- Rhowch 6 o'r bariau siocled yn y microdon am 10 eilaid i'w meddalu. Yna siapiwch y bariau i mewn i siâp pw pw cath. Rhowch y bariau i mewn yn y cymysgedd.

- Ysgeintiwch weddill y briwsion dros y cymysgedd.

- Rhowch y 6 baryn siocled sy'n weddill i mewn i'r meicrodon am 10 eiliad ac yna eu siapio. Gosodwch y bariau ar ben y cymysgedd.

- Rydych yn barod i fwyta eich Cacen Cat Litter. Mwynhewch!!

Mwy o glasuron o lyfrgell Llyfr Mawr y Pants

80 x 5 gan Pedr Cant

JOIO MAS DRAW Kyle Hwyl ☺

Sut i Ddathlu · CARL PARTI

DYFAL DONC gan BEN DERFYNOL

Sut i Fwydro gan Mali Awyr

CAU DY GEG! DEAN BLEAN

TREIA BOD YN DDONIOL Huw Môr

♡ Coda Dy Galon GWEN A. NEUDU

COGINIO'N GYFLYM Meic R. Don

Sut i Fod yn Annymunol · CERI GRAFU

AR BE' TI'N SBIO, PAL? gan T. Shaw-Fate

METHU'R BWS i FANGOR gan Daloni Fys

Pa Ots Gennyf i? SEIMON GWYBOD

Gymerwch chi Fisgien? MARTIN R. AGOR

Mwynhau'r Nadolig · IORWERTH NEWNPRESEB

WEDI BWYTA GORMOD o FRESYCH Gwyn Tafiach

ATEB CWESTIYNAU MAWR gan Marc Cwestiwn

Mynd i'r Tŷ Bach yn Gyson P.P.N. Amal

Dowch yn Eich Blaenau gan RAY TANDY

'SDIM OTS GEN I! gan BETH BYNNAG

7 Rhech i'w Casglu

Rhech Serchus

Ffrwtiad Ffrwydrol

Trwbl Dwbl

Cnec Cyfrwys

Yr Igam Ogam

Bendigeidfrown

Gwynt Anheg ar dy ôl

Modryb Mwydro

Y modryb ofidiadau waetha yn y byd

Annwyl Modryb Mwydro,
Mae pawb yn fy anwybyddu.
Be fedrai neud am y peth?

Ateb Modryb Mwydro:
Pwy sgwenodd hynna?

Annwyl Modryb Mwydro,
Dwi'n caru fy nghariad yn fawr iawn, ond dwi'n amau bod ganddi gariad arall. Ddyliwn i ddweud rhywbeth wrthi?

Dean Treest, Cwm Llwm

Ateb Modryb Mwydro:
Wel, ma isho bod yn ofalus. Dwi wedi bod yn canlyn efo dyn golygus iawn, os cai ddweud, ond mi on i'n amau ei fod o'n cambyhafio. Felly dyma fi'n ei ddilyn fo yr holl ffordd i'r capel, lle'r odd ei holl deulu wedi ymgynnull. Dyma fo'n mynd i mewn, a wedyn dyma ferch mewn ffrog wen yn cerdded i fyny ato, ac ar ôl iddyn nhw gyfnewid modrwyon, a deud 'gwnaf' wrth ei gilydd, dyma nhw'n dechrau cusanu. Wedyn ddaru fo fynd ar wylia am bythefnos efo'r ddynes yma. Wrth gwrs, dwi'n ei drystio fo, ond fel ddudus i, fedrwch chi ddim bod yn rhy ofalus.

Annwyl Modryb Mwydro,
Mae gen i broblem. Mae pawb
yn fy nghyhuddo o fod yn
gelwyddgi.

Ateb Modryb Mwydro:
Dos o ma, dwi'm yn dy
gredu di.

Ateb Modryb Mwydro:
Paid poeni, ma 'na sôn fod
'na fyg cas yn neud y rownds.

Annwyl Modryb Mwydro,
Dwi'n dal i freuddwydio fod
na gwpan enfawr yn rhedeg
ar fy ôl ac yn ceisio fy mrifo.

Annwyl Modryb Mwydro,
Mae fy chwaer yn
anweledig, ac mae'n achosi
cryn drafferth i'r teulu.

Ateb Modryb Mwydro:
Chwaer anweledig?
Dwi'm yn gweld be
di'r broblem.

SWS I NAIN, CUSAN I MAM-GU

Gas gen i gusanu fy Nain,
Mae'n ddynes sy'n blwmp ac yn blaen,
Ei chroen a'i chrychau,
Yn rhy hyll i ddrychau
'Sa hi'n berffaith fel bwgan y brain

Gas gen i swsian Mam-gu,
'Se well gen i fyta baw ci,
Ei hanadl sydd wath,
Na tun o fwyd cath,
Mae'n ddigon i neud i chi chwydu.

Gas gen i gusanu fy Nain,
Dwi di cwyno droeon o'r blaen,
Mae'r peth ar ei gwefus,
Yn hynod anweddus,
Yn flewog, yn hyll a llawn chwain.

Gas gen i swsian Mam-gu,
Fel arall mae'n berson lyfli,
Ar ei cheg ma na boer,
Sy'n hala ias oer,
Yn syth lawr 'y nghefn bach i.

Gas gen i gusanu fy Nain,
Er mod i'n sowndio'n filain,
Mae'i danedd gosod,
Ar fin ag ymosod
Sa i'n siwr fedra'i gymryd y straen

Gas gen i swsian Mam-gu,
Ond pleser yw bod yn ei thŷ,
Joio mas draw,
Wrth ddala ei llaw,
Ond wedyn daw'r sws, ych a fi.

SAITH FFAITH DI-CHWAETH

Wrth dishan gall cynnwys eich trwyn deithio 2-3 meter ar gyflymder o 150 km yr awr.

Mae'n amhosib tishian heb gau eich llygaid. Pe na byse hyn yn digwydd, byse'ch llygaid yn popio allan.

Y Planhigyn mwya afiach yn y byd ydy'r "Carrion Flower". Mae'n blodeuo unwaith bob 7 mlynedd. Mae'n arogli fel anifail yn pydru ac mae wedi ei liwio i edrych fel cnawd marw.

Mae chwŷd moch yn cael ei ddefnyddio yn y broses o greu persawr.

Mae gan wlithen 4 trwyn

Cofnodwyd y rhech mwya swnllyd yn y byd yn Efrog Newydd. Cyrheaddodd y sŵn 84 decibel ac fe barodd am 2.6 eiliad

Mae gwartheg yn llyfu eu trwynau wrth fwyta achos fod smwt trwyn yn eu helpu i dreulio eu bwyd.

Coginio gyda Gordon Bleurgh

Teisen Tisw a Smwt Trwyn

<u>Cynhwysion ar gyfer y Teisen</u>
½ pwys o gwrst Ffilo
1 cwpanaid o gnau Pistachio (heb blisgyn)
¼ cwpanaid o siwgr
¼ llwy de o sinamon
1 cwpanaid o fenyn wedi ei doddi

<u>Cynhwysion ar gyfer y saws</u>
½ cwpanaid o siwgr
½ cwpanaid o fêl
¾ cwpanaid o ddwr
½ llwy de o sudd lemwn.

Cyfarwyddiadau:
- Trowch y ffwrn ymlaen a'i osod ar dymheredd o 400 gradd F
- Gosodwch ddalen o'r crwst ffilo ar hambwrdd crasu.

- Brwsiwch y crwst efo rhywfaint o'r menyn.
- Rhowch ddalen arall o'r crwst ffilo ar ei ben ac yna ei frwsio unwaith eto efo'r menyn
- Gwnewch hyn efo 5 dalen o'r crwst ffilo
- Chwalwch y cnau pistachio i mewn yn ddarnau bach
- Cymysgwch y cnau efo'r siwgr a'r sinamon.
- Gosodwch ddau lwmpyn o'r cymysgedd cnau(tua maint pêl golff) ar ben y crwst ffilo.
- Gosodwch ddalen o grwst ffilo ar ben y cymysgedd cnau.
- Brwsiwch y ffilo efo'r menyn.
- Gwenwch hyn efo 5 dalen gan sicrhau eich bod chi'n siapio'r crwst i edrych fel darn o disw sy'n llawn smwt trwyn.
- Rhowch yr hambwrdd crasu yn y ffwrn i goginio am 30 munud
- Tra bod y gacen yn coginio rhowch y dŵr, siwgr mêl a'r sudd lemwn mewn sosban.
- Cynheswch nes ei fod yn berwi'n araf am ryw 20 munud.
- Tynnwch y gacen allan o'r ffwrn a'i gadael i oeri.
- Rhowch y gacen ar blât ac arllwyswch y saws ar ei ben.
- *Voila* – Teisen Tisw a Smwt Trwyn.

ATEBION I'R POSAU

Llenwch y bylchau

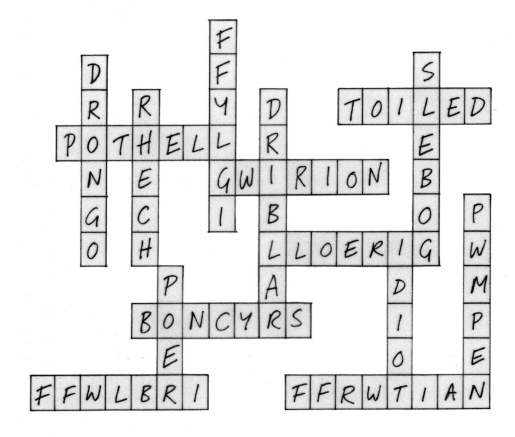

Pos y Pants 1

```
N K C U Y J M D S L Z G T H I
R A I N X R E V L I W O L P P
A S I P I T N Y W G I R R O T
L L W T W R S Y N D P T O N S
B E E B W N C E I Z T E L H P
I B R F A R P F H C Q L N L C
R O D F F R F L E M B O O O U
D G E U Y Y I F Q P U P Y Q L
E D G B Q M L P E W U O K O T
D O S V Y N W G I P P B F I R
U X D R O N G O I P I I S F H
U P X J U K J T U D G H A E E
Q W D H C J Z X D W A W H B C
H R G K P V P Y L N B S P X H
N Y S P W T U L U J I H D Y Y
```

Pos y Pants 2

```
P E R H L B N O L R W L S Q I
N B F U E X O C U C W I C R D
S N O R T N Y N I L L T B U S
U T H T R G D L C E U L S R L
D L L Y R T E L F Y W K D H Z
X W Q N E C L E U F R U I S P
C V H C O N I H F F B S L W S
V A M C P E O T P P P T M D E
R W F A R C T O N M L P Q R G
D O M D A N L P W O E F T G W
S L S F Y E Y R L N I A N U O
V G F W R O T R Y T I R Y B Q
L O F F K X P W O L F S I N N
Q V L L O E R I G L N U N W E
N X E Q H R W V Y T P L Y S G
```

SGWNIS

Ydy lladd amser yn ypsetio Dr Who?

Sut mae arwyddion 'Cadwch oddi ar y glaswellt'
yn cael eu gosod?

Os yw Barbie mor boblogaidd,
pam bod angen prynu ei ffrindiau hefyd?

Yw hi'n anlwcus i fod yn ofergoelus?

Beth mae adar bach yn ei weld pan maen
nhw'n cael eu cnocio'n anymwybodol?

Be ma defaid yn cyfri i'w helpu i gysgu?

Pam fod Dad yn gadael ei gar ar y stryd
ac yn llenwi y garej gyda sothach?

Pam fod moron yn fwy oren nag oren?

Os 'da ni yma i helpu eraill, pam fod 'eraill' yma?

Pam fod golau yn yr oergell ond ddim yn y rhewgell?

Fy Mhants

Cyfle i bawb ddarganfod mwy am eich Pants

Lliw fy Mhants lwcus

_____
_____

Nifer o Bants sydd yn fy nghasgliad

_____
_____

Hoff bâr o Bants

_____
_____

Cyfnod hira i mi wisgo fy Mhants heb eu golchi

_____
_____

Y tro cynta i mi wisgo fy Mhants ar fy mhen

_____
_____
_____

Y Pants mwya rydw i erioed wedi ei weld

_____
_____
_____

Nodiadau

_____
_____
_____

Am fwy o lyfrau doniol a dwl,
mynnwch gopi o'n catalog newydd,
neu hwyliwch i mewn i'n gwefan:

www.ylolfa.com

i chwilio ac archebu ar-lein

TALYBONT, CEREDIGION SY24 5AP
e-bost ylolfa@ylolfa.com
gwefan www.ylolfa.com
ffôn +44 (0)1970 832 304
ffacs 832 782